这是我的书 It's MY BOOK

7级：400字

狮子和兔子

作者：谷文瑞（Raymond Ku）
插图：冰河插画（Bing He Design）

北京语言大学出版社
BEIJING LANGUAGE AND CULTURE UNIVERSITY PRESS

PHOENIX TREE
PHOENIX TREE PUBLISHING INC.

识读 狮子 动物 担心 选 准时 等 大王 除

句型 ……带……

字数 408 字

chuán shuō sēn lín li yǒu yì zhī shī zi tā zhǎng
传说森林里有一只狮子，它长
de yòu gāo yòu dà hái huì suí shí suí dì bǎ bié de
得又高又大，还会随时随地把别的
dòng wù chī diào dòng wù men dōu hěn dān xīn tā men
动物吃掉。动物们都很担心，它们
jiù yì qǐ qù zhǎo shī zi qiú qíng
就一起去找狮子求情。

shī zi shuō nǐ men měi tiān xuǎn chu yí gè
狮子说："你们每天选出一个
dòng wù zhǔn shí sòng dào wǒ jiā ba zhè yàng nǐ men
动物准时送到我家吧。这样，你们
jiù bú yòng měi tiān dōu dān xīn le yào bù rán wǒ
就不用每天都担心了。要不然，我
jiù bǎ nǐ men quán bù chī diào dòng wù men tóng yì
就把你们全部吃掉！"动物们同意
le shī zi de yāo qiú
了狮子的要求。

měi tiān zhōng wǔ dà jiā huì xuǎn chu yí gè dòng
每天中午大家会选出一个动

wù sòng gěi shī zi dāng shí wù yì tiān yì zhī
物，送给狮子当食物。一天，一只

tù zi yào gěi shī zi dāng shí wù le kě tā bú yuàn
兔子要给狮子当食物了，可它不愿

yì bèi shī zi chī diào zěn me bàn ne tù zi xiǎng
意被狮子吃掉。怎么办呢？兔子想

chu le yí gè hǎo bàn fǎ
出了一个好办法。

tā gù yì hěn wǎn cái dào shī zi jiā shī zi
它故意很晚才到狮子家。狮子
yǐ jīng děng le hěn jiǔ le dù zi tè bié è kàn
已经等了很久了，肚子特别饿。看
dào tù zi tā shí fēn shēng qì zěn me zhǐ lái le
到兔子，它十分生气：“怎么只来了
yì zhī nǐ zhè me xiǎo de dòng wù wǒ jīn tiān xiān bǎ
一只你这么小的动物？我今天先把
nǐ chī diào míng tiān zài bǎ qí tā dòng wù chī guāng
你吃掉，明天再把其他动物吃光！”

tù zi lián máng shuō nín bù néng guài wǒ a
兔子连忙说：“您不能怪我啊！
yuán lái dà jiā shuō hǎo le yào gěi nín sòng shang liù zhī
原来大家说好了要给您送上六只
tù zi kě shì lù shang yǒu wǔ zhī tù zi bèi lìng
兔子，可是路上有五只兔子被另
yì zhī dà shī zi chī diào le nà zhī shī zi shuō
一只大狮子吃掉了。那只狮子说，
tā cái shì sēn lín de dà wáng wǒ xià de gǎn kuài
它才是森林的大王。我吓得赶快
pǎo hǎo bù róng yì cái pǎo dào nín zhè li lái
跑，好不容易才跑到您这里来。”

shī zi dà jiào yì shēng hái yǒu shéi gǎn shuō
狮子大叫一声：“还有谁敢说
zì jǐ shì dà wáng kuài dài wǒ qù jiàn tā
自己是大王？快带我去见它！”
cōng ming de tù zi bǎ shī zi dài dào yì kǒu shēn jǐng
聪明的兔子把狮子带到一口深井
páng shuō nà zhī shī zi jiù zài zhè lǐ miàn
旁，说：“那只狮子就在这里面。”
shī zi wǎng jǐng li kàn le kàn kàn dào shuǐ
狮子往井里看了看，看到水
zhōng zhēn de yǒu yì zhī shī zi zhǎng de hé zì jǐ
中真的有一只狮子，长得和自己
yí yàng tā zhāng kǒu dà jiào jǐng li de shī zi yě
一样。它张口大叫，井里的狮子也
zhāng kǒu dà jiào wǒ yí dìng yào chú diào nǐ
张口大叫。“我一定要除掉你！”
tā yòng lì yí tiào diào jin le jǐng li
它用力一跳，掉进了井里。

1 传说森林里有一只狮子，它长得又高又大，还会随时随地把别的动物吃掉。动物们都很担心，它们就一起去找狮子求情。

2 狮子说：“你们每天选出一个动物准时送到我家吧。这样，你们就不用每天都担心了。要不然，我就把你们全部吃掉！”动物们同意了狮子的要求。

3 每天中午大家会选出一个动物，送给狮子当食物。一天，一只兔子要给狮子当食物了，可它不愿意被狮子吃掉。怎么办呢？兔子想出了一个好办法。

4 它故意很晚才到狮子家。狮子已经等了很久了，肚子特别饿。看到兔子，它十分生气：“怎么只来了一只你这么小的动物？我今天先把你吃掉，明天再把其他动物吃光！”

5 兔子连忙说：“您不能怪我啊！原来大家说好了要给您送上六只兔子，可是路上有五只兔子被另一只大狮子吃掉了。那只狮子说，它才是森林的大王。我吓得赶快跑，好不容易才跑到您这里来。”

6 狮子大叫一声：“还有谁敢说自己是大王？快带我去见它！”聪明的兔子把狮子带到一口深井旁，说：“那只狮子就在这里面。”

7 狮子往井里看了看，看到水中真的有一只狮子，长得和自己一样。它张口大叫，井里的狮子也张口大叫。“我一定要除掉你！”它用力一跳，掉进了井里。

1
2
3
4
5
6

看图讲故事

7